Ricitos de Oro y los tres osos
Goldilocks and the Three Bears

Adaptación / *Adaptation:* Darice Bailer

Ilustraciones / *Illustrations:* Maria Espluga

Traducción / *Translation:* Madelca Domínguez

SCHOLASTIC INC.

New York Toronto London Auckland Sydney
Mexico City New Delhi Hong Kong Buenos Aires

Había una vez una niñita que tenía el pelo muy rubio, largo y rizado. Su pelo brillaba como el sol. Por eso su mamá le puso Ricitos de Oro.

Una noche, Ricitos de Oro salió de su cama y fue a pasear por el bosque.

***

Once upon a time there was a little girl with long, curly blond hair. Her hair shone like the golden sun, so her mother named her Goldilocks.

One night, Goldilocks slipped out of bed and went for a walk in the woods.

En medio del bosque había una casa donde vivía una familia de tres osos. Ricitos de Oro miró a través de la cerradura. Como no escuchó ninguna voz o gruñido, abrió la puerta y se encontró con una mesa en la que había tres platos de avena y un vaso de jugo.

In the middle of the woods stood a house belonging to a family of three bears. Goldilocks peeked in through the keyhole. Not hearing any voices or growls, she opened the door and saw a wooden table set with three bowls of porridge and a glass of juice.

Al ver la mesa servida, Ricitos de Oro sintió hambre y sed. Se tomó el jugo y probó de cada plato. La avena del plato más grande estaba muy caliente, la del plato mediano estaba muy fría, pero la del plato pequeño estaba deliciosa. Ricitos de Oro se comió toda la avena.

—◦◦◦—

Suddenly hungry and thirsty, Goldilocks drank the juice and tasted each bowl of porridge. The biggest bowl was too hot, the medium-sized bowl was too cold, but the littlest bowl was just right. Goldilocks ate that porridge all up.

Cuando terminó de comer, Ricitos de Oro sintió sueño. Así que subió las escaleras en busca de una cama donde descansar.

After her meal, Goldilocks felt very sleepy. She decided to find a bed upstairs and take a short nap.

Ricitos de Oro se subió primero en la cama de papá oso, pero las almohadas eran muy altas. Después, se subió en la cama de mamá osa, pero el colchón era muy incómodo. Finalmente, Ricitos de Oro se acurrucó en la cama de bebé oso. Era exactamente lo que buscaba. Cerró los ojos y se quedó profundamente dormida.

———∽∾∽———

Goldilocks first climbed into Papa Bear's bed, but the pillows were too high. Then she climbed into Mama Bear's bed, but the end of the bed was too lumpy. Finally, Goldilocks curled up on Baby Bear's bed. It was just right. She closed her eyes and fell fast asleep.

Finalmente, los tres osos regresaron a casa a la luz de la luna. Habían dado una larga caminata esa tarde y estaban ansiosos por comer su avena.

Finally, the three bears lumbered home in the moonlight. They had taken a very long walk that evening and were ready for their porridge dinners.

Los osos se sorprendieron al ver que la puerta estaba abierta de par en par. Las sillas estaban fuera de lugar y las cucharas estaban dentro de los platos.

Papá oso miró su plato y dijo con un gruñido:

—¡Alguien ha probado mi avena!

The bears discovered their front door was wide open. There were chairs out of place and spoons standing up straight in their bowls.

Papa Bear stared down at his big bowl and said gruffly, "Someone's been eating my porridge!"

El vaso de mamá osa estaba casi vacío.

—Alguien se ha tomado mi jugo —dijo mamá osa.

Mama Bear's glass was just about empty.

"Someone's been drinking my juice," Mama Bear said.

Bebé oso se subió a su sillita para comer su avena. Miró el plato vacío y se puso a llorar.

—Alguien ha probado mi avena —dijo bebé oso entre sollozos—, ¡y se la comió todita!

———⚬⚬⚬———

Baby Bear climbed up into his high chair to eat his bowl of porridge. He stared at the empty bowl and sniffed back tears.

"Someone's been eating my porridge," Baby Bear said with a whimper, "and that somebody ate it all up!"

Los tres osos subieron las escaleras y se llevaron otra gran sorpresa.

—Alguien se ha acostado en mi cama —dijo papá oso.

—Alguien se ha acostado en mi cama también —dijo mamá osa.

—Alguien se ha acostado en mi cama —dijo bebé oso—, ¡y aún sigue durmiendo en ella!

The three bears climbed upstairs and made another discovery.

Papa Bear said, "Someone's been sleeping in my bed."

"Someone's been sleeping in my bed, too," said Mama Bear.

"Somebody's been sleeping in my bed," said Baby Bear, "and that somebody is still here!"

Ricitos de Oro despertó y vio tres osos mirándola furiosos. Antes de que los osos pudieran decir una palabra, saltó de la cama y salió corriendo por la puerta. No paró hasta que llegó a su casa y se metió en su habitación, donde todo estaba hecho a su medida.

—⦿⦿⦿—

Goldilocks woke from her nap to see three angry bears staring at her. Before the bears could say a word, she scrambled out of bed and out the door—right to her own room in her own house, where everything was just the right size for her.

ISBN-13: 978-0-545-02988-9
ISBN-10: 0-545-02988-0

Illustrations copyright © 2004 by Maria Espluga
Text copyright © 2007 by Scholastic Inc.
Spanish translation copyright © 2007 by Scholastic Inc.
All rights reserved. Published by Scholastic Inc.,
557 Broadway, New York, NY 10012, by arrangement with Combel Editorial.

12 11 10 9 8 7 6 5 4 3 2   8 9 10 11/0

Printed in China

First Scholastic printing, May 2007